roman rouge

Dominique et compagnie

Sous la direction de
Agnès Huguet

Dominique Demers

Poucet, le cœur en miettes

Illustrations
Steve Beshwaty

Catalogage avant publication de Bibliothèque et Archives Canada

Demers, Dominique
Poucet, le cœur en miettes
(Roman rouge ; 32)
Publ. à l'origine dans les coll. : Carrousel. Mini-roman ; et, Série Poucet. 2000.
Pour enfants.

ISBN 2-89512-462-0
I. Beshwaty, Steve. II. Titre.

PS8557.E468P68 2005 jC843'.54 C2004-941955-2
PS9557.E468P68 2005

Dépôts légaux : 1er trimestre 2005
Bibliothèque nationale du Québec
Bibliothèque nationale du Canada
Bibliothèque nationale de France

ISBN 2-89512-462-0
Imprimé au Canada

10 9 8 7 6 5 4 3 2 1

Direction de la collection : Agnès Huguet
Graphisme : Primeau & Barey
Révision-correction : Martine Latulippe et Céline Vangheluwe

Dominique et compagnie
300, rue Arran
Saint-Lambert (Québec) J4R 1K5
Téléphone : (514) 875-0327
Télécopieur : (450) 672-5448
Courriel : dominiqueetcie@editionsheritage.com
Site Internet : www.dominiqueetcompagnie.com

Nous remercions le Conseil des Arts du Canada de l'aide accordée à notre programme de publication. Nous reconnaissons l'aide financière du gouvernement du Canada par l'entremise du Programme d'aide au développement de l'industrie de l'édition (PADIÉ) pour nos activités d'édition.

Nous reconnaissons l'aide financière du gouvernement du Québec par l'entremise du Programme de crédit d'impôt pour l'édition de livres – SODEC – et du Programme d'aide aux entreprises du livre et de l'édition spécialisée.

À Marie-Ève Marcil

Chapitre 1

Le retour d'Amandine

Poucet est fou de joie ! Il a le cœur en fête pour trois bonnes raisons.

Un : c'est le début des vacances. Finis les devoirs et les dodos à huit heures et quart.

Deux : Amandine s'en vient. Sa meilleure amie a pris l'avion ce matin. Elle habite maintenant chez les Inuits. À Kangiqsujuaq. Poucet a même appris à prononcer ce mot correctement : Ca-gnir-sou-jou-aque ! C'est Amandine qui le lui a montré.

Et elle sera à la maison dans exactement cent vingt-deux minutes. Enfin !

Trois : la mère de Poucet a préparé un festin. Macaronis, pizza et gâteau au chocolat avec une montagne de fraises enneigée de crème fouettée. Miam ! Poucet a une faim d'ogre juste à y penser.

• • •

Poucet tourne en rond dans sa chambre. Il n'en peut plus d'attendre la sonnerie de la porte d'entrée. Il retourne voir Petit Poucet. Poucet a installé son minuscule chien magique sur le lit réservé à Amandine, juste à côté du sien.

–Je veux qu'elle te voie en entrant. Surtout, ne t'inquiète pas. Je suis sûr qu'elle va te trouver beau.

Petit Poucet plisse son museau, ouvre la gueule et bâille. Poucet inspecte son ami. Il replace quelques poils sur ses oreilles.

– Amandine sait que tu fais seulement semblant d'être un chien en peluche. Je lui ai dit que tu peux remuer tes oreilles, sauter sur mon lit, me lécher le nombril et parfois même manger mes brocolis. Elle sait que tu baves, que tu fais des crottes et que tu peux grossir ou rapetisser quand tu veux.

Le petit chien de Poucet se gratte comme s'il avait des puces. Il adore imiter les autres chiens.

– Veux-tu me faire vraiment plaisir, Petit Poucet ? Deviens gros, gros devant Amandine. Ça va l'impressionner…

Poucet se tait. Il a un peu honte. Des mots résonnent dans sa tête : « Les animaux magiques sont rares. Il faut les protéger. Ils décident eux-mêmes quand bouger. »

C'est ce qu'a dit son étrange voisin en lui confiant l'animal magique. Poucet s'en souvient bien. Mais c'est tellement renversant de voir Petit Poucet se métamorphoser en chien géant. Et ça n'arrive pas souvent !

La dernière fois, c'était il y a un mois. Quand Berthold Bertrand a traité Poucet de microbe devant toute la classe. Caché dans la poche de

Poucet, Petit Poucet a tout entendu. Plus tard, ce grand fendant de Berthold Bertrand a failli les écraser en roulant comme un fou en vélo !

Petit Poucet a alors bondi hors de la poche de Poucet. Et juste au moment où il atterrissait sur le trottoir, il est devenu immense. Il s'est mis à aboyer très fort et à montrer ses crocs géants. Des crocs vraiment effrayants !

Quand Berthold Bertrand a aperçu ce chien gros comme un lion qui courait derrière lui, il s'est arrêté net de pédaler. Il avait tellement peur qu'il n'arrivait plus à bouger. Même qu'il s'est mis à pleurer.

Des tas d'enfants ont vu l'abominable Berthold braillant comme un petit de la garderie. Le pauvre avait beau expliquer qu'un lion voulait l'avaler, personne ne le croyait parce que Petit Poucet était redevenu minuscule.

Chapitre 2

Amandine-la-chanceuse

Amandine est là. Enfin ! Poucet a retrouvé sa meilleure amie ! Mais au lieu d'être fou de joie, il a le cœur en compote : Amandine n'est plus comme avant. Elle a le même rire et les mêmes yeux dorés, mais elle a changé. D'abord, elle a grandi. Beaucoup grandi ! Tellement qu'en l'apercevant, Poucet a cru que c'était lui qui avait rapetissé.

Il voudrait bien grandir vite, lui aussi. Il en a assez d'être le plus petit de

sa classe, le plus petit de son équipe de soccer, le plus petit partout, tout le temps. « Pourquoi existe-t-il de l'engrais pour les plantes et pas pour les enfants ? » se demande Poucet. Il serait prêt à avaler les aliments les plus dégoûtants – des artichauts, du foie de bœuf ou même de la langue de cochon – si ça l'aidait à pousser un peu.

Oui, Poucet envie Amandine-la-chanceuse. Pas seulement parce qu'elle a grandi. Avant, Poucet avait pitié de sa pauvre amie partie vivre au bout du bout du Québec. Maintenant, il en est un peu jaloux : Amandine a vu des loups de mer, des renards blancs et même, de loin, un ours polaire. L'animal le plus dangereux de la terre !

Amandine a vraiment beaucoup changé. Avant, elle faisait la grève

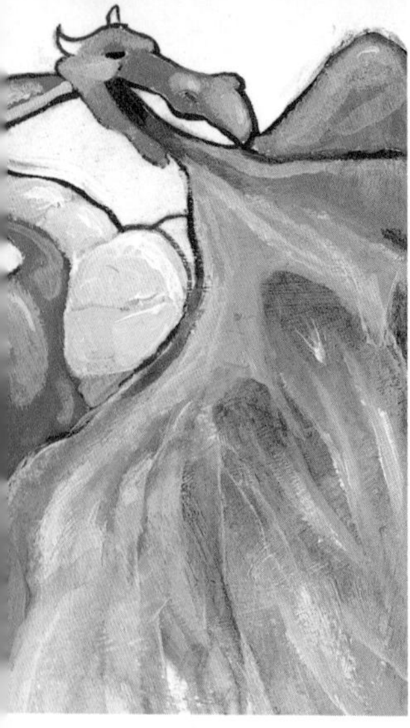

du ventre dès que son père cuisinait une soupe à la betterave. Ces jours-là, Poucet lui préparait en cachette un sandwich à la banane. Mais voilà que la nouvelle Amandine se vante d'avoir mangé des œufs de poisson, du caribou rôti et des coquillages crus. Ouache ! Ce n'est pas tout. Son amie prétend qu'elle a pique-niqué sur un iceberg. Voyons donc ! Pique-niquer sur un morceau de glace en plein océan…

Et elle connaît des mots nouveaux. Comme « aurore boréale ».

– Si tu voyais, Poucet ! C'est tellement beau ! Les soirs d'aurores

boréales, on dirait qu'un dragon fabuleux crache des flammes de toutes les couleurs en plein ciel.

• • •

C'est la nuit, mais Poucet ne dort pas. Amandine, elle, ronfle juste à côté. Amandine-la-traîtresse !

– Il est mignon, ton petit chien… en peluche, a-t-elle dit en voyant Petit Poucet sur son lit.

– Il a l'air d'un chien en peluche, mais c'est un chien… vivant. Un chien MA-GI-QUE, lui a rappelé Poucet.

Amandine le sait, pourtant. Poucet lui a déjà tout expliqué dans ses lettres et au téléphone. Un doute terrible s'est alors installé dans le cœur de Poucet.

– Amandine ?

– Oui ?

– Tu me crois pour Petit Poucet ? Tu me crois que c'est un chien magique ?

– Bien... euh...

– Dis la vérité, Amandine.

– Eh bien... non ! Je ne pense pas que ce soit un VRAI chien magique.

Mais c'est amusant de faire semblant...

Poucet a le cœur en miettes depuis qu'Amandine a dit ça. Il a enlevé Petit Poucet du lit de son amie et l'a gardé avec lui pour la nuit. Tout triste, il lui chuchote à l'oreille :

– Amandine ne me croit pas. Ma meilleure amie pense que tu n'existes pas...

Au parc, tous les amis du quartier veulent entendre les histoires d'Amandine sur le Grand Nord, les icebergs, les aurores boréales, les loups de mer et les ours polaires. Amandine-la-vedette est tellement occupée que Poucet n'a personne avec qui jouer.

Seul dans son coin, Poucet se balance. Il se console en pensant à la

tante Elzéa. Elle a invité sa nièce Amandine et son ami Poucet à la campagne pour quelques jours. La tante d'Amandine est une sorte de savante. Elle lit tout le temps, même en vacances. Derrière sa maison, il y a une forêt immense.

Poucet prend son Petit Poucet dans sa poche.

« Là-bas, nous serons bien, promet-il. Chez Elzéa, je vais retrouver mon Amandine d'avant. Celle qui m'écoutait et me croyait. Celle qui avait le temps de jouer avec moi. »

Poucet gratte les oreilles de son chien magique. Il sait qu'il adore ça. Mais l'animal ne bouge pas. Il n'a pas remué le moindre poil depuis l'arrivée d'Amandine. On dirait presque qu'il boude.

Serait-il insulté parce que Amandine ne croit pas qu'il est magique ?

Chapitre 3

La maison d'Elzéa

La maison d'Elzéa ressemble à un vieux château. Poucet imagine une princesse enfermée dans le haut de la tour. Les marches de l'escalier craquent et les plafonds ont des fissures. Poucet s'invente un fantôme glissant entre les murs. Il y a huit chambres à coucher, trois salons, deux bibliothèques, quatre salles de bains... et un million de toiles d'araignée.

C'est une maison parfaite pour jouer à la cachette ! Amandine et Poucet courent partout et s'amusent comme des fous.

En fin d'après-midi, tante Elzéa sort de son bureau. Elle invite les enfants à préparer un feu dehors. Ils y feront rôtir des saucisses et du pain. Elle apporte aussi un grand pot de limonade et un sac de guimauves pour le dessert.

• • •

– Au secours ! crie tante Elzéa en riant.

Sa saucisse est encore en feu. C'est la quatrième qu'elle brûle ! La viande noircit et se ratatine. Ouache ! Amandine rit tellement qu'elle échappe son hot-dog. La saucisse roule dans le sable. Ouache encore !

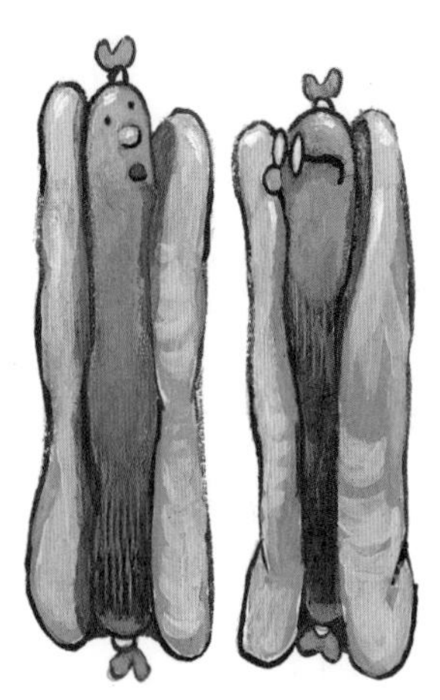

Heureusement, Poucet a un gros appétit. Il leur offre les deux hot-dogs qu'il allait engloutir et en prépare deux autres pour lui.

– Miam ! C'est délicieux ! Je t'engagerais bien comme cuisinier, dit tante Elzéa en mordant dans son pain.

Poucet est fier de lui.

– C'est bon ! Merci, Poucet ! ajoute Amandine, la bouche pleine.

– Aussi bon que les œufs de poisson, les coquillages crus et le caribou rôti ? demande Poucet, malicieux.

Amandine s'approche et lui souffle à l'oreille :

– C'est mille fois meilleur !

Les yeux de Poucet brillent. Il est heureux. Il a enfin retrouvé son Amandine d'avant.

• • •

Il fait noir maintenant. Le ciel est parsemé d'étoiles. Le sac de guimauves est vide et le ventre de Poucet bien gonflé.

Poucet, Amandine et Elzéa contemplent le feu. Les flammes s'agitent et s'étirent comme des fantômes lumineux. Une foule de petits bruits s'échappent de la forêt, tout près. C'est un peu inquiétant... Poucet plonge la main dans sa poche pour sentir la fourrure de Petit Poucet sous ses doigts. D'habitude,

ce geste le rassure. Mais cette fois, c'est le contraire...

Parce que Petit Poucet n'est pas là !

– Que se passe-t-il, Poucet ? Tu es plus pâle que la lune, remarque Elzéa.

Poucet a des nœuds dans l'estomac.

– Mon... mon chien... a disparu, bégaie-t-il.

– Ton chien ? !

Tante Elzéa ne comprend pas. Amandine explique :

– C'est juste un jouet. Un tout petit chien en peluche.

Poucet reçoit cette phrase comme un coup d'épée. Amandine ne le croit toujours pas. Pire encore : on dirait presque qu'elle se moque de lui.

Pendant qu'Elzéa et Amandine rapportent les assiettes à la cuisine, Poucet sent sa colère gonfler, gonfler... Si ça continue, il va exploser. Poucet n'en peut plus. Il se sauve. Il court droit vers la forêt et fonce à travers les arbres.

Chapitre 4

Un vrai chien magique

– Poucet ! Sors de ta cachette ! Tu as gagné... Je ne joue plus ! crie Amandine en grimpant de nouveau l'escalier.

Silence.

Amandine est découragée. Elle cherche son ami depuis trop longtemps. Ses jambes sont fatiguées. Elle n'a plus envie de courir. Soudain, elle découvre le chien de Poucet sur une marche de l'escalier.

« Comme c'est étrange, songe-t-elle. Je suis passée ici tout à l'heure et je suis certaine que ce chien n'y était pas. »

Amandine cueille la petite bête dans sa main.

– C'est vrai que tu es mignon, murmure-t-elle doucement. Dommage que tu ne sois pas vivant.

Tout à coup, les yeux d'Amandine s'arrondissent. Est-ce possible ? ! Petit Poucet bâille, s'étire et se gratte l'oreille gauche comme s'il avait des puces.

Amandine a la bouche ouverte, mais aucun son ne sort. Petit Poucet

grimpe sur son épaule et lui lèche affectueusement la joue.

–C'est… c'est mer… veilleux. C'est extra… ordinaire. Tu es vraiment magi…

Soudain, Amandine pense à Poucet. Et d'un coup, elle comprend tout : Poucet n'est pas caché ! Il s'est sauvé parce qu'elle, sa meilleure amie, n'a pas voulu le croire. Pauvre Poucet ! Le cœur d'Amandine fait des culbutes. Elle reprend Petit Poucet dans sa main, le fixe droit dans les yeux et le supplie :

– Aide-moi ! Il faut retrouver Poucet !

À peine a-t-elle prononcé ces mots qu'un grand éclair doré illumine le minuscule chien. Petit Poucet a disparu derrière un nuage de poussière brillante.

Mais non ! Petit Poucet n'a pas disparu. Il a grossi, grossi… et s'est métamorphosé en chien géant. L'énorme bête aboie doucement. Amandine a compris : elle grimpe sur son dos et Grand Poucet part au galop !

Amandine a l'impression de rêver. Le chien magique s'élance vers la forêt. Il saute par-dessus deux ruisseaux, contourne un barrage de

castors et court toujours. Le vent siffle aux oreilles d'Amandine. De petits cris d'animaux percent la nuit. Amandine resserre ses bras autour du cou du chien géant.

« Pourvu qu'il ne soit rien arrivé à mon ami Poucet… »

– Là ! Je le vois... Droit devant !

Le chien s'arrête. Amandine saute à terre et avance vers Poucet, endormi sous un sapin. Elle a retrouvé son ami. Enfin ! Poucet ouvre un œil : Amandine est là, devant lui. Et ils sont... dans une forêt. Comme c'est étrange...

Peu à peu, Poucet se souvient. Le feu, les hot-dogs, les guimauves et...

– Petit Poucet a disparu ! crie Poucet, affolé.

– Non. Ne t'inquiète pas. Je l'ai retrouvé, le rassure Amandine.

D'une voix douce, elle ajoute :

– Tu avais raison, Poucet. Ton chien bouge, il est vivant. C'est un vrai chien magique. Et il t'aime beaucoup : il est devenu énorme pour m'aider à te retrouver.

Amandine tourne la tête et cherche le chien géant. Il n'est plus là ! Poucet, lui, sent soudain quelque chose de chaud sur sa cuisse. Il

plonge une main dans sa poche et y trouve Petit Poucet.

– Espèce de vieux poireau ! Tête de têtard ! Cervelle de guimauve !

Poucet inonde son chien magique d'injures tout en le couvrant de baisers.

Amandine rit.

• • •

Dans le château, Amandine et Poucet se glissent dans leurs lits. Il fait noir partout, sauf dans la chambre de la tante Elzéa. Elle s'est endormie en lisant ! Elle n'a rien su de leur escapade.

Blottie sous les couvertures, Amandine hésite. Elle cherche ses mots.

– Poucet ?

– Oui ?

– Penses-tu que ton Petit Poucet pourrait devenir mon ami, à moi aussi ?

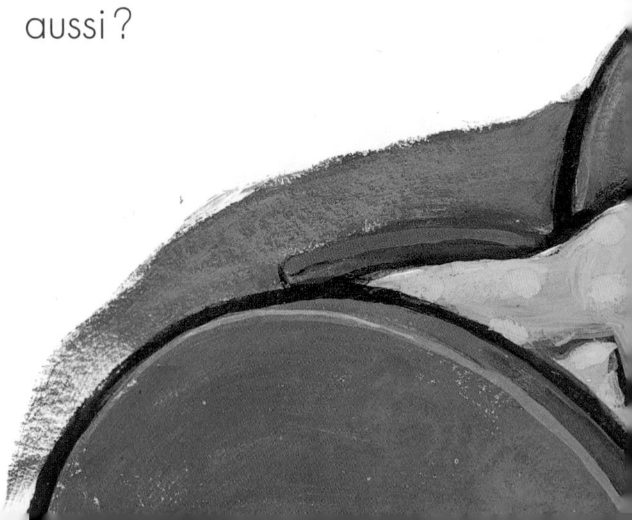

– Bien sûr, répond Poucet. Mais à une condition…

– Quelle condition ? demande Amandine, inquiète.

– Que tu nous invites dans ton village, au bout du bout du Québec. Pour voir les loups de mer et les aurores boréales.

Amandine est ravie.

– Oui, oui ! C'est promis !

Dans la même collection

1 **Lancelot, le dragon (Anique)**
Anique Poitras
2 **David et le Fantôme**
François Gravel
3 **David et les monstres de la forêt**
François Gravel
4 **Le petit musicien**
Gilles Tibo
5 **Sauvez Henri !**
Yvon Brochu
6 **David et le précipice**
François Gravel
7 **Le sixième arrêt (Somerset)**
Hélène Vachon
8 **Le petit avion jaune (Léonie)**
Mireille Villeneuve
9 **Choupette et son petit papa**
Gilles Tibo
10 **David et la maison de la sorcière**
François Gravel
11 **J'ai un beau château (Peccadille)**
Marie-Francine Hébert
12 **Le grand magicien**
Gilles Tibo
13 **Isidor Suzor (Anique)**
Anique Poitras
14 **Le chien secret de Poucet**
Dominique Demers
15 **Entre la lune et le soleil**
Nancy Montour
16 **David et l'orage**
François Gravel
17 **Marie Louve-Garou (Anique)**
Anique Poitras

18 Des étoiles sur notre maison
Camille Bouchard
19 Dessine-moi un prince (Peccadille)
Marie-Francine Hébert
20 Le cœur au vent
Nancy Montour
21 Mon plus proche voisin (Somerset)
Hélène Vachon
22 David et les crabes noirs
François Gravel
23 La dame et la licorne (Anique)
Anique Poitras
24 Des amis pour Léonie (Léonie)
Mireille Villeneuve
25 Choupette et maman Lili
Gilles Tibo
26 Le cinéma de Somerset (Somerset)
Hélène Vachon
27 Lune de miel
Camille Bouchard
28 Réglisse solaire (Marie Labadie)
Marie-Danielle Croteau
29 Un vrai conte de fées (Peccadille)
Marie-Francine Hébert
30 Les orages d'Amélie-tout-court
Martine Latulippe
31 Mon ami Godefroy (Somerset)
Hélène Vachon
32 Poucet, le cœur en miettes
Dominique Demers
33 Choupette et tante Loulou
Gilles Tibo
34 Léonie déménage (Léonie)
Mireille Villeneuve

Achevé d'imprimer en février 2005
sur les presses de Imprimerie L'Empreinte inc.
à Ville Saint-Laurent (Québec)